ISBN 0-7172-3251-4

Dépôt légal 4ᵉ trimestre 1999
Bibliothèque nationale du Québec

Imprimé aux États-Unis

Andy court dans sa chambre. Il s'amuse avec ses deux jouets préférés. « Vous ne devriez jamais vous frotter au duo imbattable formé par le shérif Woody et Buzz Lightyear ! » Soudain—

CRRRAC! Andy déchire accidentellement le bras de Woody. Et il doit partir pour le Camp Western dans quelques minutes. Apportera-t-il quand même Woody ?

Andy hausse les épaules.
« Je vais le laisser ici », dit-il
à sa mère.

« Je suis désolée, mon chéri »,
dit madame Davis à son fils. « Les
jouets ne sont pas éternels. »

Elle dépose Woody au sommet d'une
étagère. L'air penaud, Woody regarde
Andy partir.

C'est la première fois qu'Andy va
au Camp Western sans lui. Woody se
demande si Andy l'oubliera.

Au bout d'un certain temps, Woody entend
une voix enrouée près de lui, sur l'étagère. C'est
Wheezy, le pingouin en peluche.

« Wheezy ! » s'écrie Woody. « Mais où étais-tu
donc passé ? »

« On m'a oublié ici depuis que mon sifflet est
cassé », soupire Wheezy. « Regarde maintenant
ce qui nous attend », poursuit-il, en pointant vers
la fenêtre.

Dehors, la mère d'Andy prépare une vente de garage ! L'instant d'après, elle entre dans la chambre d'Andy, à la recherche d'articles à vendre. Elle saisit Wheezy !

Woody intervient. Il saute sur le dos de Buster, le chien d'Andy, pour aller sauver le pingouin enroué.

Wheezy réussit à fuir bien agrippé à Buster, mais Woody tombe dans la boîte d'objets à vendre.

Soudain, un étranger repère Woody.
Il saisit le petit cow-boy dans sa grosse
main, le regard avide.

« Combien coûte-t-il ? » demande-t-il.

Mais Madame
Davis refuse de vendre
Woody. Alors l'étranger s'en empare
et prend la fuite !

« Oh, non ! » crie Buzz, qui observe la scène de la
chambre d'Andy. « Cet homme vient de voler Woody ! »

En un éclair, Buzz saute par la fenêtre et se laisse
glisser sur le tuyau d'évacuation.

Trop tard. L'homme vient de sauter dans sa voiture
avec Woody et il s'éloigne à toute vitesse. Mais Buzz
note la plaque d'immatriculation : LZTYBRN.

L'homme rentre chez lui et met Woody dans une vitrine. Lorsqu'il quitte, Woody ouvre la vitrine et tente de s'enfuir. Soudain…

«HIIII-HAAAA!»

Trois jouets que Woody ne connaît pas courent vers lui : une cow-girl, un cheval et un chercheur d'or dans son emballage original.

«C'est toi! C'est bien toi!» s'écrie la cow-girl.

Le cheval lèche le visage de Woody.

«Nous attendons ce jour depuis si longtemps, Woody», lance le chercheur d'or, avec un sourire.

«Qui êtes-vous? Comment savez-vous mon nom?» demande Woody, un peu confus.

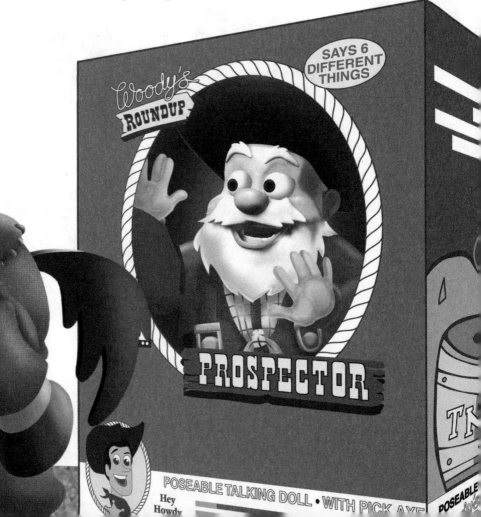

Les jouets se présentent. Il y a Jessie la
chanteuse tyrolienne, Prospecteur le chercheur
d'or, et Dans-le-mille le cheval le plus intelligent
de l'Ouest ! Le Prospecteur lui explique qu'ils
sont tous inspirés d'une émission télévisée
intitulée *La Bande à Woody*. Woody est une
vedette !

« Mince alors ! » s'exclame Woody, en
regardant une vidéocassette de l'émission.
« C'est moi ! »

Pendant ce temps, Buzz Lightyear et tous les autres jouets d'Andy ont découvert que le numéro de la plaque d'immatriculation correspondait à la voiture de Al, le propriétaire de *Jouets à gogo*.

Buzz élabore un plan pour secourir Woody. « Woody a déjà risqué sa vie pour me sauver », dit Buzz. « Je ne pourrais prétendre être son ami si je n'étais pas prêt à faire de même. Puis-je compter sur vous ? »

Cette nuit-là, Buzz, Slinky, Monsieur Patate, Hamm et Rex se lancent à la rescousse de leur ami qui a été volé. Buzz ouvre la marche.

« Vers *Jouets à gogo* — et au-delà ! » crie Buzz.

Entre-temps, chez Al, on
confirme à Woody qu'il
a déjà été une vedette de
la télé.

Al possédait tous les
jouets tirés de
l'émission sauf un—
le shérif Woody.

La Bande a passé
des années dans une
boîte pendant que Al
cherchait Woody.

«YAA-HOU!»
crie Jessie,
gaiement. «Nous
voilà enfin tous
réunis!»

Woody, Jessie et Dans-le-Mille s'amusent à
sauter d'une étagère à l'autre.

« Al va maintenant pouvoir nous vendre à un
musée, au Japon », dit le Prospecteur.

« Un musée ? » répète Woody. « Mais je dois
retourner chez mon propriétaire, Andy. »

Jessie est déçue. Sans Woody, ils devront
retourner dans leur boîte de rangement.

Lorsque Al revient, les jouets retournent rapidement à leur place. Ils entendent Al qui téléphone à un musée de jouets au Japon. Le musée accepte d'acheter la Bande à Woody !

«Je vous garantis que cette merveilleuse collection sera l'attraction de votre musée !» promet Al.

Le collectionneur sort Woody de sa vitrine. Oups ! Le bras de Woody se détache.

Al fait donc appel au « Réparateur ». L'homme
répare Woody. Non seulement Woody se sent
comme un neuf — il se sent mieux qu'un jouet
neuf ! Le réparateur applique même de la
peinture sur le nom d'Andy, gravé sous une des
bottes de Woody.

Peu importe, Woody est toujours prêt à
rentrer chez Andy.

Avant de partir, toutefois, il va faire ses adieux
à Jessie et Dans-le-Mille. C'est alors que Jessie
lui parle de sa petite fille.

« Andy est ton meilleur ami, n'est-ce pas ? » dit Jessie. « Lorsqu'il joue avec toi, tu te sens vivre. »

« Comment sais-tu ça ? » s'enquiert Woody.

« Avec Émilie, ma propriétaire, c'était la même chose. Elle était tout mon univers », dit Jessie.

« C'est bizarre », ajoute-t-elle. « Tu ne les oublies jamais, mais eux, ils finissent par t'oublier. Un jour, elle m'a donnée. »

Ces paroles
rendent Woody
triste. Andy va-t-il
vraiment finir par
l'oublier ? Il devrait
peut-être rester
avec ses amis de La
Bande à Woody
plutôt que de
rentrer à la maison.

Pendant ce temps, les autres jouets n'ont pas perdu de temps. Le groupe marche, et marche.

Au lever du jour, il se trouve en face de *Jouets à gogo*. Il n'y a plus qu'à traverser la rue achalandée !

Heureusement, Buzz a une idée. Les jouets se cachent sous des cônes de déviation et traversent la rue en courant.

Il s'en faut de peu pour que Monsieur Patate soit transformé en purée !

Mais tout le monde atteint enfin l'autre côté de la rue sain et sauf.

Les jouets entrent chez *Jouets à gogo*. Ils ne trouvent pas Woody, mais ils rencontrent des jouets très intéressants. Buzz rencontre même un autre Buzz Lightyear !

Les jouets ont cependant tôt fait de trouver leur ami dans l'appartement de Al, juste en face de la boutique.

« Woody ! » crie Buzz. « Tu es en danger ici. Nous devons partir tout de suite ! »

Mais Woody ne veut maintenant plus partir.

Woody raconte tout à ses amis étonnés—
l'émission télévisée, la Bande à Woody et le musée,
au Japon.

« Essaie de comprendre, Buzz », tente d'expliquer
Woody. « Andy vieillit et un beau jour, il n'aura
plus besoin de moi. J'ai maintenant la chance de
vivre éternellement dans un musée. »

« Un musée ? » répète Buzz. « Tu préfères passer le reste de tes jours à regarder les enfants de derrière une vitrine ? Quelle vie ! Tu es un jouet, Woody, une chose qui amuse les enfants. Tu dois être là pour Andy ! » s'écrie-t-il.

« C'est toi qui m'as appris ça, tu te rappelles ? » Mais Woody refuse de partir.

Tous les jouets d'Andy quittent sans lui. Woody regarde son émission télévisée. Il y a un garçon qui ressemble à Andy sur l'écran. Woody gratte la peinture de sous sa botte et fixe le nom d'Andy. Soudain, sa décision est prise.

« Où avais-je la tête ? » s'écrie Woody.

Tant pis si Andy l'oublie un jour. Pour l'instant, Woody veut passer tout le temps qu'il peut avec son meilleur ami !

«Buzz! Buzz, attends!» crie Woody. «Je viens avec toi!»

Il invite Jessie et Dans-le-Mille à l'accompagner.

Mais le Prospecteur s'est extirpé de sa boîte et il les arrête.

Avant qu'ils aient pu s'enfuir, Al arrive!

Al saisit la Bande à Woody et met tous les jouets dans une valise. Al s'en va à l'aéroport, en route vers le Japon où il les vendra au musée.

Les jouets d'Andy se lancent aussitôt à la rescousse de Woody, craignant de le perdre à tout jamais ! Mais au moment où Slinky lui tend la patte, le Prospecteur tire Woody à l'intérieur de la valise !

Buzz et les autres suivent Al à l'extérieur. Celui-ci monte dans sa voiture et démarre en trombe.

« Comment allons-nous l'arrêter ? » demande Rex.

Monsieur Patate repère un camion de livraison de Pizza Planète. « Que diriez-vous d'une pizza ? » lance-t-il, avec un clin d'œil.

Tout le monde saute dans le camion.

« Slinky, occupe-toi des pédales », dit Buzz. « Rex, tu me diriges. Hamm et Monsieur Patate, actionnez les leviers et les boutons ! »

Ils s'élancent derrière la voiture d'Al.

Lorsque Al arrive à l'aéroport, il dépose la
valise de jouets sur le chargeur à tapis roulant
qui transporte les bagages jusqu'à l'avion.

Mais Buzz et les autres jouets, cachés dans un
chariot qui transporte les animaux familiers,
suivent la valise jusqu'à l'aire des bagages.

Buzz vole à la rescousse de Woody.

Le Prospecteur
tente de l'arrêter,
mais il tombe
dans un sac
rempli de vieilles
poupées.

Buzz, Woody et Dans-le-Mille réussissent à s'échapper. Mais Jessie est toujours à l'intérieur de la valise.

« Woody ! Au secours ! » supplie Jessie, que l'on s'apprête à charger dans l'avion.

Il n'y a qu'une solution. Woody et Buzz sautent sur le cheval.

« Au triple galop, Dans-le-Mille ! » crie Woody. Et le trio s'élance à la rescousse de Jessie.

Woody saute à bord de l'avion.

« Allez, Jessie », dit Woody. « Je t'amène à la maison avec moi. »

« Mais je suis un jouet de fille », gémit Jessie. « Andy ne voudra pas de moi. »

« Ne dis pas de sottises ! » réplique Woody. « Andy t'adorera. De plus, il a une petite sœur. »

« Vraiment ? » répond Jessie. « Je te suis ! »

Soudain, la porte de la soute à bagages se ferme. L'avion se met à avancer !

Il n'y a qu'une façon de sortir : l'ouverture juste
au-dessus du train d'atterrissage.

« Euh… tu es sûr ? » demande Jessie, d'un ton nerveux, en commençant à descendre.

« Oui, vas-y ! » répond Woody, en la suivant. Mais Woody glisse sur le mécanisme huileux. Il s'agrippe par un bras, mais c'est son mauvais bras. Il se met à déchirer !

« Tiens bon ! » crie Jessie.

« Une petite minute ! » crie une voix familière. « Vous ne pouvez pas réussir un sauvetage sans Buzz Lightyear ! »

« Buzz ! » s'écrie Woody, en voyant son ami s'amener sur le dos de Dans-le-Mille.

Woody a une idée. Il prend son lasso et l'attache autour du train d'atterrissage. Woody et Jessie prennent leur envol et atterrissent sains et saufs sur le dos de Dans-le-Mille.

« Beau travail, cow-boy ! » s'exclame Buzz.

« Allez, on rentre », dit Woody, avec un sourire.

À son retour du camp, Andy a tellement hâte de revoir ses jouets qu'il ne pose même pas de question au sujet du chariot à bagages garé devant chez lui. Il monte à sa chambre en courant et remarque aussitôt ses nouveaux jouets, Jessie et Dans-le-Mille.

« Génial ! Merci, maman ! » s'exclame Andy.

« Je suis fier de toi, Woody », murmure Buzz.

« Merci, mon ami », réplique Woody. « Tu sais, le jour où tout ça prendra fin, je me consolerai en me disant que j'aurai toujours Buzz Lightyear à mes côtés, jusqu'à l'infini et au-delà. »